왕초보를 위한

유튜브 GUIDE BOOK

유튜브는 매달 20억명 이상의 사용자를 보유하고 있으며,
이는 전 세계적으로 거대하고 다양한 관객에게
접근할 수 있다는 것을 의미합니다.

이는 유튜브에서 콘텐츠를 만들면
세계 각지의 크고 다양한 관객에게
도달할 수 있는 잠재력이 있다는 것을 의미합니다.

유튜브 채널을 성공적으로 구축하는 데는
시간과 노력이 필요하지만
장기적인 성장 잠재력은 상당합니다.

헌신, 일관성 및 전략적 계획을 통해
채널의 관객과 영향력을 꾸준히 확대할 수 있습니다.

지금 바로 시작하세요.

왕초보를 위한 유튜브 GUIDE BOOK

발 행 | 2024년 02월 22일
저 자 | 민선임
펴낸이 | 한건희
펴낸곳 | 주식회사 부크크
출판사등록 | 2014.07.15(제2014-16호)
주 소 | 서울특별시 금천구 가산디지털1로 119 SK트윈타워 A동 305호
전 화 | 1670-8316
이메일 | info@bookk.co.kr

ISBN | 979-11-410-7330-5

왕초보를 위한 유튜브

GUIDE BOOK

민 선 임 지음

CONTENT

들어가기전에…

1. YouTube Shorts에서 초보자가 실패할 수 밖에 없는 이유

YouTube Shorts는 빠르게 성장하고 있는 플랫폼이지만, 초보자가 실패할 수 있는 몇 가지 이유가 있습니다.

초보자들은 YouTube Shorts에 대한 충분한 이해와 경험이 부족할 수 있습니다. 플랫폼의 특징, 알고리즘, 그리고 시청자의 기호를 파악하는 데 어려움을 겪을 수 있습니다. 콘텐츠의 품질이 낮거나 다른 크리에이터들에 비해 창의성이 부족하다면 주목받기 어려울 수 있습니다.

초보자들은 트렌드와 시청자의 관심사를 파악하기 어려울 수 있습니다. 인기 있는 주제나 트렌드를 놓치고, 시청자들의 니즈를 충족시키지 못할 수 있으며 추가적으로 YouTube Shorts의 알고리즘이 어떻게 작동하는지 이해하지 못하는 경우, 콘텐츠의 노출이 충분하지 않아 성장이 어려울 수 있습니다.

YouTube Shorts에서 성공하기 위해서는 효과적인 마케팅과 소셜 미디어 활용이 필요한데, 이를 제대로 활용하지 못하면 시청자층을 확장하는 데 어려움을 겪을 수 있습니다.

초보자들은 비디오 제작, 편집 기술 등에서 미숙할 수 있으며 품질 높은 콘텐츠를 만들기 위해서는 이러한 기술들을 습득하는 노력이 필요합니다. YouTube Shorts에서 성과를 보려면 지속적인 노력과 투자가 필요한데, 초보자들이 충분한 시간을 투자하지 않거나 빠른 성과를 기대할 경우 실망할 수 있습니다. 또 초보자들이 명확한 목표와 전략을 갖지 않으면, 방황하게 되고 효율적인 콘텐츠 제작과 마케팅이 어려워질 수 있습니다.

총론적으로, YouTube Shorts에서 성공하기 위해서는 플랫폼에 대한 깊은 이해, 창의적인 접근, 지속적인 노력, 그리고 관중과의 소통이 필수적입니다. 초보자들은 이러한 측면들을 강화하여 성장해 나가야 합니다.

2. YouTube Shorts 시작 해야 하는 이유

YouTube Shorts를 시작해야 하는 이유는 다양한 측면에서 기회와 이점을 제공하기 때문입니다. 다음은 YouTube Shorts를 시작해야 하는 다양한 이유를 알아보겠습니다.

YouTube Shorts는 짧은 시간 내에 많은 노출을 얻을 수 있는 특성을 가지고 있습니다. 이는 빠른 성장과 콘텐츠의 빠른 확산을 가능케 하며, 시청자를 빠르게 유치할 수 있는 기회를 제공합니다.

짧은 형식의 비디오는 창의성을 자유롭게 발휘할 수 있는 기회를 제공하며 크리에이터들은 독특하고 창의적인 아이디어를 효과적으로 표현하여 시청자들과 강한 연결을 형성할 수 있습니다. 노래, 댄스, 코미디, 교육 등 다양한 콘텐츠 테마를 지원하고 크리에이터들은 자신의 취향과 특기에 맞춰 다양한 시청자 층을 확보하고, 특정 관심사에 집중하여 타겟팅할 수 있습니다.

YouTube Shorts는 간편하게 제작하고 빠르게 수정할 수 있는 특성을 가지고 있습니다. 크리에이터들은 생산성을 높이면서도 콘텐츠를 신속하게 업로드하고 수정할 수 있어 효율적인 콘텐츠 제작이 가능합니다. 또, 모바일 사용자를 중심으로 한 트렌드에 부합하고, 모바일 중심의 플랫폼에서 콘텐츠를 소비하는 시청자들을 효과적으로 타겟할 수 있습니다.

YouTube Shorts는 다양한 소셜 미디어 플랫폼과의 통합을 지원하며, 다양한 플랫폼에서 동시에 콘텐츠를 홍보하고 시청자들과 소통할 수 있는 기회를 얻을 수 있습니다.

YouTube Shorts의 알고리즘은 새로운 크리에이터에게도 높은 노출 기회를 부여하고 새로운 크리에이터들은 상대적으로 빠르게 시청자를 확보하고 성장할 수 있는 기회를 얻을 수 있습니다. 더 나아가 크리에이터들은 광고 수익 뿐만 아니라 스폰서십, 상품 판매 등 다양한 방식으로 수익을 창출할 수 있습니다.

YouTube Shorts를 시작하는 것은 콘텐츠 제작의 다양한 측면에서 기회를 제공하며, 창의적인 표현과 재정적인 이익을 동시에 추구할 수 있는 도전적이면서도 유익한 결정일 것입니다. 이를 통해 크리에이터들은 시청자들과 깊은 연결을 형성하고 성공적인 콘텐츠 제작의 길을 걸어갈 수 있습니다.

3. 유튜브 쇼츠 시작전 알아야할 필수사항

YouTube Shorts를 시작하기 전에 알아야 할 몇 가지 필수 사항이 있습니다. 이를 통해 콘텐츠 제작과 플랫폼 활용에 대한 효과적인 시작을 할 수 있습니다.

1. YouTube Shorts의 특징과 기능

YouTube Shorts는 짧은 형식의 비디오 플랫폼으로, 60초 미만의 동영상을 업로드하는 서비스입니다. 특징적인 효과 및 편집 도구 등의 기능을 정확히 이해하고 활용해야 하며 기본적인 편집 기술을 습득하고, 동영상을 흥미롭게 편집할 수 있어야 합니다.

2. 타겟 시청자와 콘텐츠 테마 정의

시작 전에 타겟 시청자를 정의하고, 어떤 콘텐츠를 제작할지 명확하게 계획해야 하며 콘텐츠가 시청자에게 가치 있는지 고민해야 합니다.

3. 트렌드와 경쟁 상황 파악

YouTube Shorts의 트렌드와 현재 경쟁 상황을 파악하고, 어떻게 자신의 콘텐츠가 독특하게 차별화될 수 있는지 고민해야 합니다. YouTube Shorts를 통해 커뮤니티를 형성하고 소셜 미디어 플랫폼에서 적극적으로 홍보하는 것이 중요하며 시청자와의 상호 작용을 촉진하고 콘텐츠를 홍보해야 합니다.

4. YouTube 정책 및 가이드라인 숙지

YouTube 플랫폼의 정책과 가이드라인을 숙지하고 준수해야 합니다. 불쾌한 콘텐츠나 저작권 위반을 피하며, 플랫폼에서 성공적으로 활동하기 위해서는 이러한 규정을 지켜야 합니다.

5. 통계 및 분석 도구 활용

YouTube의 통계 및 분석 도구를 활용하여 시청자 행태와 성과를 추적하고 분석하는 능력을 기르는 것이 중요합니다. 데이터를 통해 콘텐츠 전략을 최적화하세요.

6. 꾸준한 업로드 일정 유지

꾸준한 업로드 일정을 유지하는 것은 시청자들에게 일관된 콘텐츠를 제공하고 YouTube에서 노출 기회를 높이는데 도움이 됩니다.

7. 시험과 실험을 통한 개선

처음 시작하면서 다양한 콘텐츠 스타일과 주제를 실험하며, 시험을 통해 어떤 종류의 콘텐츠가 가장 효과적인지를 학습하고 개선해야 합니다.

8. 커뮤니티 피드백에 대한 개방적인 마음가짐

커뮤니티 피드백을 수용하고 개선하는 자세를 갖는 것이 중요합니다. 양적이고 질적인 피드백을 통해 콘텐츠 퀄리티를 높여야 합니다.

YouTube Shorts를 시작하기 전에 이러한 필수 사항을 고려하고 준비해두면 보다 효과적으로 콘텐츠를 제작하고 성장할 수 있습니다. 계획적이고 체계적인 시작을 통해 더 많은 관심과 성과를 기대할 수 있습니다.

4. YouTube Shorts로 빠르고 쉽게 수익 창출하는 이유

YouTube Shorts를 통해 빠르고 쉽게 수익을 창출하는 이유는 여러 가지 있습니다. 이러한 특징들이 함께 작용하여 크리에이터들에게 빠르면서도 효율적인 수익의 기회를 제공합니다.

YouTube Shorts는 짧은 형식의 동영상으로, 시청자들은 빠르게 소화하고 공유할 수 있습니다. 이는, 높은 시청률과 빠른 확산으로 새로운 시청자를 빠르게 확보하고 크리에이터의 콘텐츠가 빠르게 보급되는데 도움을 줍니다.

짧은 형식의 동영상은 빠르게 시청되지만 높은 광고 수익률을 제공하고, 눈에 띄는 광고 수익을 빠르게 얻을 수 있으며, CPM(1,000호히 노출당 비용) 측면에서도 더 높은 이익을 기대할 수 있습니다.

YouTube Shorts는 강력한 알고리즘을 통해 적절한 콘텐츠를 시청자에게 추천합니다. 이를 통해 크리에이터들은 알고리즘의 지원을 받아 새로운 시청자를 빠르게 확보하고, 노출 기회를 증가시킬 수 있으며 스폰서십, 상품 판매, 팬덤 서비스 등 다양한 방식으로 수익을 창출할 수 있어 크리에이터에게 빠르고 안정적인 수익의 가능성을 제공합니다.

YouTube Shorts는 모바일 사용자에게 편리한 서비스로, 시청자들이 더 빠르게 소화하고 공유할 수 있어 수익 창출이 빠르게 이루어집니다. 추가로 크리에이터들은 높은 사용자 활동과 시청자

수를 바탕으로 빠르게 팬덤을 형성하고 성장할 수 있습니다.

짧은 형식의 동영상은 길게 제작하는 것보다 더 빠르게 생산할 수 있습니다. 크리에이터들은 신속하게 다양한 콘텐츠를 제작하여 빠르게 업로드할 수 있어, 빠른 시청자 유치와 높은 활동성을 유지할 수 있습니다.

YouTube Shorts는 이러한 특성들을 통해 크리에이터들에게 빠르고 쉽게 수익을 창출할 수 있는 효율적인 플랫폼으로 작용하고 있습니다. 이를 통해 크리에이터들은 높은 활동성과 안정적인 수익을 동시에 얻을 수 있습니다.

1.1 유튜브 Shorts의 중요성

유튜브 Shorts는 현대 디지털 콘텐츠 환경에서의 중요성이 더욱 강조되고 있는 형식 중 하나로, 다양한 이유로 인해 그 중요성이 부각되고 있습니다.

유튜브 Shorts는 60초 이하의 짧은 동영상 형식으로, 시청자들에게 긴 지루함 없이 빠르게 정보를 전달할 수 있는 기회를 제공합니다. 이는 현대인들이 빠른 흐름의 정보를 선호하는 트렌드와 부합하며, 짧은 시간 내에 다양한 콘텐츠를 소비하고 소통할 수 있는 플랫폼으로 자리매김하고 있습니다. 또 유튜브 Shorts는 트렌드에 민감한 소비자층을 겨냥하여, 다양한 주제와 스타일의 콘텐츠를 빠르게 소비할 수 있는 환경을 제공합니다. 이는 특히 어린 세대 및 모바일 사용자들에게 매력적으로 다가가며, 이들과 강력한 상호작용을 이끌어내는 중요한 수단으로 작용합니다.

유튜브는 Shorts에 대한 알고리즘을 강화하여 이를 더 많은 시청자에게 노출시키고 있습니다. 이로 인해 새로운 콘텐츠 제작자들이 더욱 빠르게 성장할 수 있는 기회를 제공하며, 기존 유저들에게도 새롭고 다양한 콘텐츠를 소개함으로써 플랫폼의 다양성을 높이고 있습니다. 더하여 초보자들도 쉽게 접근할 수 있는 짧은 형식의 동영상 제작은 창의성을 높이고 빠르게 피드백을 받을 수 있는 기회를 제공합니다. 이는 콘텐츠 제작자들이 빠르게 성과를 거두고, 그에 따라 성장할 수 있는 환경을 조성하고 있습니다.

유튜브 Shorts는 새로운 시청 습관을 형성하고 있습니다. 긴 동영상을 기다리지 않아도 빠르게 정보를 얻을 수 있는 이 형식은 시청자들에게 새로운 방식으로 콘텐츠를 소비하게 만들어, 플랫폼에 대한 활발한 사용을 유도하고 있습니다. 이러한 이유로, 유튜브 Shorts는 단순히 콘텐츠 제작의 형식을 넘어서 소비자들과의 더 가까운 소통을 가능케 하며, 효과적인 마케팅 및 콘텐츠 전달의 측면에서 현대 디지털 미디어 환경에서 더욱 중요한 역할을 하고 있습니다.

1.2 왜 초보자도 따라할 수 있는가?

초보자들이 따라하기 쉬운 첫 번째 이유는 YouTube Shorts는 짧은 콘텐츠용으로 설계되었으며, 초보자도 정교한 설정이나 긴 편집 과정 없이 동영상을 쉽게 만들 수 있다는 것입니다. 두 번째로, YouTube Shorts는 광범위한 온라인 시청자의 선호도에 맞춰 모바일 시청에 최적화되어 있습니다. 초보자도 정교한 장비가 필요 없이 스마트폰에서 직접 콘텐츠를 촬영, 편집, 업로드할 수 있습니다. 세 번째, Shorts는 YouTube 추천 알고리즘의 이점을 활용하여 신규 크리에이터의 진입 가능성을 높일 수 있습니다. 매력적인 콘텐츠는 더 많은 잠재고객에게 빠르게 다가갈 수 있는 잠재력을 갖고 있어 초보자에게 채널을 빠르게 성장시킬 수 있는 기회를 제공합니다. 네 번째, YouTube Shorts에는 인기 있는 트렌드와 챌린지가 자주 등장합니다. 초보자는 이러한 트렌드를 활용하여 플랫폼 시청자들의 현재 관심 사항에 맞는 콘텐츠를 만들 수 있습니다. 챌린지에 참여하면 시청자들의 콘텐츠 검색 가능성과 콘텐츠에 대한 노출 가능성도 향상될 수 있습니다. 마지막으로, 코미디, 음악, 튜토리얼 또는 기타 틈새 분야에 관계없이 YouTube Shorts는 다양한 콘텐츠를 수용합니다. 초보자는 다양한 스타일과 장르를 탐색하여 자신의 관심사와 잠재 고객의 선호도에 가장 잘 맞는 것이 무엇인지 찾을 수 있습니다.

1.3 유튜브 지금 당장 시작해야 하는 이유

유튜브는 매달 20억 명 이상의 사용자를 보유하고 있으며, 이는 전 세계적으로 거대하고 다양한 관객에게 접근할 수 있다는 것을 의미합니다. 이는 유튜브에서 콘텐츠를 만들면 세계 각지의 크고 다양한 관객에게 도달할 수 있는 잠재력이 있다는 것을 의미합니다.

유튜브는 다양한 방법으로 창의적으로 자신을 표현할 수 있는 플랫폼입니다. 요리, 게임, 메이크업, 기술 등에 관심이 있다면 해당 주제에 대한 콘텐츠를 만들고 세계와 공유할 수 있으며 더하여 개인 브랜드를 구축하거나 해당 분야에서 권위자로 자리 잡을 수 있는 훌륭한 플랫폼을 제공합니다. 일관적으로 높은 품질의 콘텐츠를 제작하면 충실한 팬을 유치하고 해당 분야에서 다른 사람들과 차별화될 수 있습니다.

유튜브는 특정 기준을 충족하면 크리에이터들에게 다양한 수익화 옵션을 제공합니다. 이 프로그램을 통해 크리에이터는 광고 수익, 채널 멤버십 및 유튜브 프리미엄 수익을 통해 수익화를 할 수 있습니다. 또 유튜브 채널을 활용하여 제품이나 서비스를 홍보하거나 브랜드와 협업하여 후원 콘텐츠를 제작하거나 제휴 마케팅을 탐색할 수 있습니다.

유튜브를 통한 커뮤니티는 다른 크리에이터, 산업 전문가 및 잠재적 협업자와 연결할 수 있습니다. 커뮤니티 네트워킹을 통해 파트너십, 후원, 협업과 같은 새로운 기회를 얻을 수 있습니다.

유튜브는 콘텐츠 제작과 일정에 유연성을 제공합니다. 자신의 속도로 비디오를 만들고 업로드할 수 있으므로 바쁜 일정이나 다른 업무가 있는 사람들에게 적합합니다. 또한 유튜브에서 콘텐츠 크리에이터로서 완전한 창의적인 통제를 갖게 됩니다. 다루고 싶은 주제, 비디오 스타일 및 관객과의 상호 작용 방식을 선택할 수 있으므로 개인화되고 정직한 경험을 제공할 수 있습니다.

유튜브 채널을 성공적으로 구축하는 데는 시간과 노력이 필요하지만 장기적인 성장 잠재력은 상당합니다. 헌신, 일관성 및 전략적 계획을 통해 채널의 관객과 영향력을 꾸준히 확대할 수 있습니다.

전반적으로, 유튜브 채널을 시작하는 것은 많은 사람들에게 만족스러우며 잠재적으로 수익성이 높은 시도가 될 수 있습니다. 창의성, 개인 브랜딩, 네트워킹 및 재정적 성장을 위한 기회를 제공하며, 열정을 공유하거나 다른 사람들을 교육하거나 지속 가능한 경력을 구축하기 위한 플랫폼으로 작동합니다.

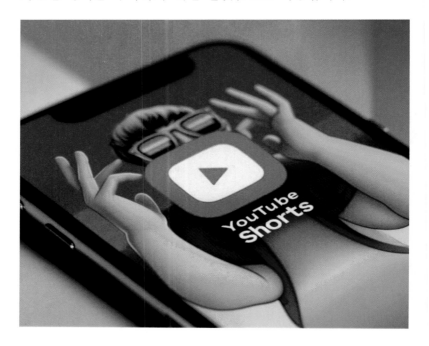

1.4 왜 Shorts 인가?

지금 YouTube Shorts를 시작하면 다음과 같은 여러 가지 이유로 유리할 수 있습니다.

먼저, YouTube Shorts는 TikTok과 같은 플랫폼과 경쟁하기 위해 YouTube가 도입한 런칭 한지 오래 되지 않은 새로운 기능입니다. 지금 시작해도 늦지 않은 플랫폼이며 앞으로도 계속 성장함에 따라 잠재적으로 더 많은 가시성을 얻을 수 있는 기회를 갖게 됩니다.

짧은 형식의 비디오 콘텐츠는 시청자, 특히 젊은층 사이에서 점점 인기를 얻고 있습니다. Shorts를 제작하면 이러한 트렌드를 활용하고 짧은 콘텐츠 소비를 선호하는 시청자의 선호도에 부응할 수 있으며, YouTube Shorts는 스마트폰을 사용하여 YouTube 앱 내에서 직접 제작할 수 있으므로 전문 장비나 편집 기술 없이도 누구나 액세스할 수 있습니다. 이를 통해 진입 장벽을 낮추고 빠르고 쉽게 콘텐츠를 제작할 수 있습니다.

짧은 형식 콘텐츠는 단시간에 즐길 수 있는 특성과 소셜 미디어 플랫폼에서 쉽게 공유할 수 있기 때문에 바이럴성의 가능성이 더 높습니다. 잘 제작된 Shorts 동영상은 입소문을 타고 짧은 기간 내에 폭넓은 시청자에게 다가갈 수 있습니다.

Shorts는 시청자의 즉각적인 피드백과 참여를 위한 플랫폼을 제공합니다. Shorts의 성과를 기반으로 시청자의 반응, 선호도, 관심도를 빠르게 측정하여 이에 따라 콘텐츠 전략을 맞춤화 할 수 있습니다.

콘텐츠 전략에 Shorts를 추가하면 다양화와 실험이 가능해집니다. 새로운 주제, 형식, 스타일을 탐색하여 다양한 방식으로 청중과 소통하고 콘텐츠를 신선하고 역동적으로 유지할 수 있습니다.

Shorts의 입지를 강화하면 더 많은 구독자와 시청자를 기본 채널로 유치할 수 있으며, 이는 광고 수익, 스폰서십, 상품 판매를 통한 수익 창출 기회를 늘릴 수 있습니다.

이제 YouTube Shorts를 시작하면 인기 콘텐츠 형식을 활용하고 플랫폼에 조기에 노출되며 콘텐츠 전략을 다양화할 수 있는 기회가 됩니다. 제작의 용이성과 입소문 가능성이 있는 Shorts는 전반적인 YouTube 인지도에 귀중한 추가 요소가 될 수 있으며 더 많은 시청자와 소통하는 데 도움이 될 수 있습니다.

2.1 유튜브 Shorts란 무엇인가?

유튜브 Shorts는 유튜브의 동영상 콘텐츠 중 하나로, 60초 이하의 짧은 동영상 형식을 가지고 있습니다. 여러분이 일반적으로 긴 유튜브 동영상을 보는 것과는 달리, Shorts는 매우 간단하고 짧은 형태로 만들어진 동영상입니다.

Shorts의 가장 큰 특징은 60초 이하의 짧은 길이입니다. 이는 사용자들이 빠르게 콘텐츠를 소비할 수 있도록 도와주고, 짧은 시간 동안 주제에 대한 핵심적인 정보를 사용자들에게 전달하는 것입니다. 콘텐츠를 만드는 것이 어려운 초보자들도 손쉽게 Shorts를 제작할 수 있으며 특별한 장비나 복잡한 편집 소프트웨어 없이도 모바일 앱을 통해 간단하게 동영상을 만들 수 있습니다.

Shorts는 소셜 미디어 트렌드를 반영하며, 주로 소셜 미디어에서 인기를 얻을 수있는 콘텐츠를 생산하는 데 중점을 두고 있습니다. 따라서 시청자들은 항상 최신의 트렌드에 따라 다양한 콘텐츠를 찾을 수 있습니다.

How to make it?
Shorts는 모바일 앱에서 주로 활용되며, 유튜브 앱을 통해 손쉽게 동영상을 촬영하고 업로드할 수 있습니다. 앱 내에서는 간단한 편집 도구를 사용하여 동영상을 편집할 수 있으며 특별한 편집 기술이 필요하지 않습니다.

특정 주제 그리고 키워드에 관련된 동영상에 대하여 해시태그를 사용 및 활용한다면 더 많은 시청자들에게 노출될 수 있습니다.

요약하면, 유튜브 Shorts는 짧은 동영상을 통해 시청자들에게 빠르게 정보를 전달하고 다양한 트렌드에 부합하는 콘텐츠를 소비할 수 있는 플랫폼으로, 초보자들도 간단하게 제작 및 활용할 수 있는 도구입니다.

2. 2 간단한 동영상 제작 기술

동영상을 만들기 위한 간단하면서도 효과적인 기술은 초보자들도 손쉽게 접근할 수 있습니다. 아래는 간단한 동영상 제작을 위한 단계별 가이드입니다.

1. 주제 선정
먼저, 어떤 주제에 대한 동영상을 제작할지 결정해야 합니다. 유튜브 Shorts는 짧은 동영상 형식이기 때문에 한 가지 주제에 집중하여 간결하고 명확한 메시지를 전달하는 것이 중요합니다.

2. 스토리보드 작성

제작하고자 하는 동영상의 내용을 정리하여 스토리보드를 작성하세요. 간단한 그림이나 문장으로 구성된 스토리보드는 제작 과정을 보다 체계적으로 만들어주고, 콘텐츠의 일관성을 유지할 수 있습니다.

3. 모바일 앱 활용

동영상 제작에는 모바일 앱이 편리하게 사용됩니다. 유튜브 앱이나 다른 동영상 편집 앱을 다운로드 및 설치한 후, 모바일 기기로 동영상 제작을 시작하세요.

4. 간단한 촬영 기법

가벼운 환경 조성: 밝고 깨끗한 배경을 선택하고, 자연광을 최대

한 활용하세요.
안정적인 촬영: 모바일을 고정시키기 위해 삼각대나 안정적인 표면을 활용하세요.
줌 사용 주의: 가능하면 디지털 줌보다는 카메라를 이동시켜 확대/축소를 피하세요.

5. 음성 및 음악 처리
음성 : 외부 소음을 피하고, 깨끗한 음성이 녹음되는 환경을 조성하세요.
배경 음악 : 필요에 따라 배경 음악을 추가하여 동영상에 감성을 더하세요.

6. 간단한 편집 기술
컷 편집 : 불필요한 부분을 자르고, 원하는 순간을 강조하세요.
텍스트 및 효과 추가: 필요한 경우 텍스트나 간단한 효과를 활용하여 콘텐츠를 풍부하게 만드세요.
편집 앱 사용 : 간단한 편집[컷 편집, 텍스트 및 효과 추가]을 위해 모바일 앱을 사용하시면 보다 원활하게 편집 할 수 있습니다.

7. 해시태그 활용과 업로드
검색 최적화를 위하여 동영상에 적절한 해시태그를 추가하고, 모바일 앱을 통해 촬영 및 편집한 동영상을 유튜브에 업로드하세요.
이러한 간단한 기술을 따라가면서, 초보자들도 손쉽게 유튜브 Shorts 동영상을 제작할 수 있습니다. 단계를 따라가며 차근차근 익혀보세요!

2.3 초보자를 위한 기초 도구 소개

초보자들이 유튜브 Shorts를 만들기 위해 사용할 수 있는 기초 도구를 간단하게 소개하겠습니다.

1. 모바일 디바이스

가장 기본적인 필수 도구는 모바일 디바이스입니다. 스마트폰이나 태블릿을 활용하여 유튜브 Shorts를 손쉽게 만들 수 있습니다. 대부분의 유튜브 Shorts 제작은 모바일 앱에서 이루어지며, 이를 통해 간편한 촬영과 편집이 가능합니다.

2. 유튜브 앱
유튜브 앱은 동영상 업로드, 편집, 관리 등의 기능을 제공합니다. 앱 내에서 간단한 편집 도구를 활용하고, 동영상을 손쉽게 업로드할 수 있습니다.

3. 삼각대
촬영할 때 동영상을 안정적으로 찍기 위해 삼각대를 사용하는 것이 좋습니다. 삼각대를 이용하면 흔들림 없이 동영상을 촬영할 수 있어, 더 고품질의 콘텐츠를 만들 수 있습니다.

4. 간단한 편집 앱
유튜브 Shorts를 만들기 위해서는 간단한 편집 도구가 필요합니다. 이를 위해 유용한 모바일 편집 앱을 활용하세요. 앱 내에서는

영상을 자르고 편집할 수 있어, 콘텐츠를 보다 매력적으로 만들 수 있습니다.

5. 외부 마이크 (선택 사항)

좋은 오디오 품질은 시청자들과의 커뮤니케이션을 강화시킵니다. 외부 마이크를 이용하면 내장 마이크보다 더 나은 음성 품질을 얻을 수 있습니다.

6. 조명 장치 (선택 사항)

좋은 조명은 동영상의 품질을 향상시키는 데 도움이 됩니다. 자연광을 활용하거나 간단한 LED 조명을 추가하여 얼굴이나 주변을 밝게 만들어보세요.

7. 편집에 도움이 되는 앱과 소프트웨어

유튜브 Shorts 동영상을 편집할 때는 간단한 편집 앱 외에도 몇 가지 다양한 앱과 소프트웨어를 활용할 수 있습니다. 이 중에서 초보자에게 친숙하고 사용이 쉬운 것을 선택하는 것이 좋습니다.

8. 스토리보드 및 노트 앱

콘텐츠를 계획하고 아이디어를 정리하기 위해 스토리보드나 노트 앱을 활용하세요. 간단한 메모나 스케치를 통해 콘텐츠를 구성하는 데 도움이 됩니다.

이러한 기초 도구들을 적절히 활용하면 초보자들도 간단하게 유튜브 Shorts를 제작할 수 있습니다. 필요한 도구들을 숙지하고 활용하는 연습을 통해 더욱 효과적으로 콘텐츠를 만들어보세요.

3. 1 어떤 주제가 인기 있는가?

유튜브 Shorts에서는 다양한 주제가 인기를 끌고 있습니다. 초보자들도 쉽게 따라할 수 있는 몇 가지 인기 있는 주제를 알아보겠습니다.

유튜브 Shorts에서는 다양한 트렌드와 챌린지에 동참하는 동영상이 많이 인기를 끌고 있습니다. 예를 들어, 유행하는 댄스, 챌린지에 도전하는 내용은 시청자들에게 재미와 흥미를 제공합니다. 간단하게 따라할 수 있는 댄스 무브나 도전적인 챌린지는 초보자들에게도 좋은 시작점이 될 수 있습니다.

자신의 일상을 소개하거나 특별한 라이프스타일을 보여주는 콘텐

츠도 인기가 있습니다. 일상적인 활동, 취미, 요리, 패션 등을 다루는 동영상은 시청자들에게 가까운 감각을 전달하며, 초보자들이 편안하게 공유할 수 있는 주제입니다.

초보자들이 무엇을 배울 수 있는 교육적인 콘텐츠도 인기 있는 주제입니다. 간단한 스킬이나 지식을 나누는 동영상, 새로운 기술이나 제품 사용법 소개, 언어 학습 등은 시청자들에게 가치 있는 정보를 제공하며, 초보자들이 자신의 전문 분야를 공유할 수 있는 기회를 제공합니다.

코미디와 재미있는 콘텐츠는 언제나 시청자들에게 인기가 있습니다. 간단한 코미디 스킷, 웃긴 이야기, 유머 감각이 돋보이는 동영상은 시청자들에게 웃음과 즐거움을 제공합니다.

자신이 잘 알고 있는 분야에서 팁이나 노하우를 공유하는 콘텐츠도 주목받고 있습니다. 특정 주제에 대한 도움말, 유용한 정보, 간단한 해결책 등을 제공하는 동영상은 시청자들에게 실질적인 가치를 전달할 수 있습니다.

이러한 다양한 주제 중에서 자신이 흥미를 가지고 무엇을 공유하고 싶은지 고민해보세요. 시청자들과의 소통과 공감을 중요하게 생각하여, 자신만의 유니크한 스타일과 콘텐츠를 만들어내면 됩니다.

3. 2 트렌드를 활용한 콘텐츠 아이디어 제안

트렌드를 활용하여 유튜브 Shorts에 인기 있는 콘텐츠를 만들어보는 것은 초보자들에게도 효과적인 방법입니다. 다음은 초보자들이 트렌드를 활용한 콘텐츠를 만들기 위한 5가지 방법입니다.

첫 번째, 유튜브 Shorts에서는 다양한 도전과 챌린지가 트렌드로 떠오르고 있습니다. 해당 트렌드에 도전하는 동영상을 제작하여 시청자들과 소통하는 것이 좋습니다. 예를 들어, 유명한 댄스 챌린지에 도전하거나, 특정 키워드를 활용한 창의적인 콘텐츠를 만들어보세요.

두 번째, 인기 있는 트렌드 토픽에 관련된 주제로 동영상을 제작해보세요. 특정 이슈, 사건, 유튜브 커뮤니티에서 떠오르는 주제들을 찾아내어, 그에 대한 자신만의 시각과 해석을 담은 동영상을 만들어 시청자들과 소통할 수 있습니다.

세 번째, 특정 동영상 트렌드에 따라서 콘텐츠를 디자인해보세요. 예를 들어, 유튜브 Shorts에서 유행하는 특정 스타일의 편집, 배

경 음악, 미니 애니메이션 등을 활용하여 시청자들에게 더욱 재미있는 동영상을 제작할 수 있습니다.

네 번째, 현재 인기 있는 이슈나 토론 주제에 대한 동영상을 만들어보세요. 최신 소식이나 트렌드에 대한 의견을 나누는 것은 시청자들과의 연결성을 높일 수 있습니다.

다섯 번째, 트렌드에 따른 동영상 제목과 해시태그를 최적화하여 검색 결과에서 노출되도록 해보세요. 특정 트렌드와 관련된 인기 있는 키워드를 활용하면, 더 많은 시청자들이 동영상을 발견할 수 있습니다.

트렌드를 활용한 콘텐츠는 빠르게 주목받을 수 있는 기회를 제공합니다. 시청자들과의 상호작용을 증진시키며, 유튜브 커뮤니티에서 자리를 잡을 수 있는 효과적인 전략 중 하나입니다.

3.3 독특하고 눈에 띄는 콘텐츠 개발 방법

독특하고 주목받는 콘텐츠를 개발하는 것은 초보자에게도 중요한 요소입니다. 다음은 독특하고 눈에 띄는 콘텐츠를 만들기 위한 방법을 알아보겠습니다.

독특한 콘텐츠를 만들기 위해서는 자신만의 스타일과 아이덴티티를 찾는 것이 중요합니다. 어떤 주제에 대해 어떻게 이야기하고, 어떤 시각으로 표현할지 고민해보세요. 자신만의 색깔과 개성을 부여하여 시청자들에게 기억에 남을 콘텐츠를 제공할 수 있습니다. 또한 독특한 콘텐츠를 만들기 위해서는 새로운 아이디어나 콘셉트를 시도해보는 것이 중요합니다. 일반적이지 않은 관점에서 특정 주제를 다루거나, 특이한 시각에서 일상을 바라보는 등 독특한 콘셉트를 고민해보세요.

다양한 콘텐츠 형식을 시도하여 창의성을 발휘해보는 것도 중요합니다. 예를 들어, 미니 동화, 시나리오, 짧은 코미디 스킷, 애니메이션, 미니 튜토리얼 등을 통해 다양한 형식으로 콘텐츠를 제작할 수 있습니다.

콘텐츠에서 강조할만한 특별한 포인트를 설정하세요. 이것은 동영상의 핵심 메시지나 재미 요소 등이 될 수 있습니다. 시청자들이 기억에 남을 만한 요소를 콘텐츠에 포함시켜 보세요. 독특하고 눈에 띄는 콘텐츠는 시청자들 과의 상호작용을 강화 시킬 수 있습니다. 댓글에 대답하거나 소셜 미디어에서 투표나 퀴즈 등을 통해 시청자들을 참여시키세요. 이는 콘텐츠에 생동감을 불어넣고 시청자들 과의 커뮤니케이션을 증진시킵니다.

콘텐츠의 색감과 비주얼 효과를 고민하여 눈에 띄도록 만들어보세요. 시청자들이 시각적 및 인상적으로 느낄 수 있도록 적절한 비주얼 스타일을 적용해보세요.
독특하고 눈에 띄는 콘텐츠를 만드는 것은 시청자들에게 기억에

남고 긍정적인 인상을 심어줄 수 있습니다. 창의성을 발휘하여
자신만의 독특한 콘텐츠를 만들어보세요

4.1 콘텐츠 제작을 위한 단계별 가이드

유튜브 Shorts 콘텐츠를 만들기 위한 단계별 가이드를 초보자도 이해하기 쉽게 설명하겠습니다.

1. 주제 선정
가장 먼저 콘텐츠를 위한 주제를 선정하세요. 자신의 관심사나 노하우가 있는 분야를 선택하면 콘텐츠를 만들 때 더욱 흥미로워 집니다.

2. 아이디어 도출과 스토리보드 작성
선정한 주제를 바탕으로 콘텐츠의 주요 아이디어를 도출하고, 그 것을 스토리보드로 작성하세요. 스토리보드는 콘텐츠의 흐름과 핵심 내용을 시각적으로 정리하는데 도움이 됩니다.

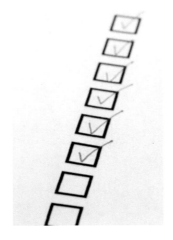

3. 촬영 계획 수립
촬영을 위한 계획을 세우세요. 필요한 장소, 도구, 소품 등을 정 하고 촬영 일정을 조율합니다. 효율적인 촬영을 위해 미리 계획

을 세워두면 도움이 됩니다.

4. 모바일 앱 설치 및 사용
유튜브 Shorts를 만들기 위해 유용한 모바일 앱을 설치하세요.
유튜브 앱 및 촬영 및 편집을 도와주는 앱을 활용하여 모바일 기기에서 편리하게 콘텐츠를 만들 수 있습니다.

5. 간단한 촬영 기술 적용
- 밝은 조명과 깨끗한 배경을 선택하여 부드럽고 가벼운 환경을 조성하세요.
- 삼각대나 안정된 표면을 활용하여 흔들림 없이 촬영하세요.
- 핸드폰이나 카메라의 줌 기능보다는 촬영 각도 설정으로 확대/축소를 설정해보세요

6. 음성 및 음악 처리
- 조용한 환경에서 촬영하여 외부 소음을 방지하여 최소화하세요.
- 필요 시 배경 음악을 추가하여 동영상에 감성과 생동감을 더하세요.

7. 간단한 편집 기술 적용
- 촬영한 동영상을 모바일 앱에서 편집하여 일차적으로 필요한 부분을 잘라내거나 효과를 추가하세요.
- 불필요한 부분을 제거하고 핵심을 강조하는 컷 편집을 하거나 필요에 따라 텍스트나 이펙트를 활용하여 콘텐츠를 더욱 자연스럽고 풍부하게 만드세요.

8. 해시태그 및 메타데이터 설정
동영상에 적절한 해시태그를 추가하여 검색 최적화를 높이세요.
또한 동영상의 제목, 설명, 카테고리 등의 메타데이터를 설정하여 시청자들이 동영상을 더 쉽게 찾을 수 있도록 도와주세요.

9. 미리보기 및 수정

화질, 소리, 편집 등이 원하는 수준에 맞는지 확인하는 단계입니다. 콘텐츠를 완성한 후에는 미리보기를 통해 최종 확인을 하고 필요한 수정을 해보세요.

10. 업로드와 공유
모든 작업이 완료되면 동영상을 업로드하고 원하는 플랫폼에서 공유하세요. 소셜 미디어를 통해 동영상을 홍보하고 시청자들과 소통하세요.

이러한 단계를 따라가면서 콘텐츠 제작에 대한 기초를 익히고, 점차적으로 자신만의 스타일과 특색 있는 콘텐츠를 만들어나갈 수 있습니다.

4.2 효과적인 편집 기술의 이해

콘텐츠를 만들 때 효과적인 편집 기술은 중요한 부분입니다. 다양한 편집 기술에 대해서 알아보겠습니다.

컷 편집 : 컷 편집은 동영상에서 불필요한 부분을 제거하고 핵심적인 내용만을 강조하는 기술입니다. 모바일 편집 앱을 사용하여 동영상에서 불필요한 부분을 선택적으로 삭제할 수 있고, 중요한 순간이나 핵심 내용을 강조하기 위해 적절한 위치에 컷을 넣을 수 있습니다.

텍스트 및 그래픽 추가 : 동영상에 텍스트나 그래픽을 추가하여 정보를 부여하고 시청자에게 메시지를 전달하는 방법입니다. 편집 앱의 텍스트 기능을 활용하여 중요한 정보를 표시할 수 있으며, 동영상에 나타나는 핵심 단어나 문구를 그래픽으로 강조할 수 있습니다.

전환 효과 활용 : 전환 효과는 동영상 간의 부드러운 전환이나 시각적인 변화를 나타내는 데 사용됩니다. 컷 간의 전환을 부드

럽게 하거나, 화면 전환 시 특수 효과를 추가하여 동영상을 더 흥미롭게 만들 수 있습니다. 편집 앱에서 제공하는 다양한 전환 효과를 활용하여 적절한 느낌을 연출하세요.

음악 및 사운드 편집 : 배경 음악이나 효과음을 추가하여 동영상에 감성을 더하고, 시청자들에게 더욱 생동감 있는 경험을 제공하는 기술입니다. 동영상에 어울리는 배경 음악을 선택하여 추가할 수 있으며 특정 순간에 음악을 강조하거나 사운드 효과를 적용하여 동영상을 더 흥미롭게 만들 수 있습니다.

속도 조절 : 동영상의 특정 부분을 느리게 또는 빠르게 재생하여 시청자에게 다양한 경험을 제공하는 방법입니다. 중요한 순간이나 특별한 부분에서 속도를 느리게 조절하여 강조할 수 있습니다. 빠른 속도 조절을 통해 긴장감을 높이거나, 느린 속도 조절을 통해 감동적인 순간을 연출이 가능합니다.

6. 컬러 그레이딩 : 동영상의 색감과 톤을 조절하여 원하는 분위

기를 표현하는 기술입니다. 편집 앱에서 제공하는 컬러 그레이딩 도구를 활용하여 동영상에 특별한 색감을 적용해보세요. 특정 장면이나 분위기에 맞게 명암과 색상을 조절하여 동영상의 전체적인 느낌을 조절할 수 있습니다.

이러한 편집 기술들은 모바일 편집 앱에서도 간단하게 적용할 수 있습니다. 각 기술을 익히면서, 동영상을 더욱 효과적으로 편집할 수 있는 능력을 키워보세요.

4.3 초보자를 위한 유용한 편집 도구 소개

초보자를 위한 유용한 편집 도구를 소개하겠습니다. 이 도구들은 사용이 간편하면서도 풍부한 편집 기능을 제공합니다.

1. Kinemaster
Kinemaster는 모바일에서 비디오 편집을 할 수 있는 앱입니다. 컷 편집, 텍스트 추가, 음악 및 음향 조절, 전환 효과 다양한 편집 기능 제공하며 간편하게 사용할 수 있습니다. 직관적이고 사용자 친화적이며 사용이 편리하여 초보자도 쉽게 익힐 수 있습니다.

2. InShot
InShot은 손쉬운 사용성과 다양한 편집 옵션을 제공하는 모바일 편집 앱입니다.
비디오 및 사진 편집에 대한 간단한 편집에서부터 음악 추가, 텍스트 및 스티커 삽입 등의 다양한 편집 기능을 제공합니다. SNS에 최적화되어 있으며 유튜브, 인스타그램, 틱톡 등 다양한 플랫폼에 적합한 비율 및 포맷을 제공합니다.

3. Adobe Premiere Rush
Adobe Premiere Rush는 Adobe의 전문 편집 도구를 모바일에서 간편하게 사용할 수 있도록 제작된 앱입니다.

다양한 Adobe 도구와의 Creative Cloud 연동을 통해 고급 편집 기능을 활용할 수 있습니다. 다양한 템플릿 제공하고 초보자도 사용하기 쉬운 템플릿을 활용하여 고품질의 동영상을 만들 수 있습니다.

4. Quik by GoPro
Quik은 GoPro에서 개발한 빠르고 간편한 동영상 편집 앱입니다. 손쉽게 동영상을 가져와 자동으로 편집해주는 기능이 제공되며, 배경 음악 삽입과 간단한 텍스트 추가가 가능합니다.

5. iMovie
iMovie는 Apple 기기에서 제공되는 간단하면서도 강력한 동영상 편집 앱입니다.
직관적인 인터페이스와 다양한 편집 옵션을 통해 초보자도 쉽게 사용할 수 있으며 다양한 효과와 필터를 활용하여 동영상을 더욱 흥미롭게 만들 수 있습니다.

이러한 편집 도구들은 간단한 조작으로도 효과적인 편집을 가능케 해주는데, 초보자들도 이러한 도구들을 활용하여 자신만의 동영상을 손쉽게 제작할 수 있습니다.

5.1 모바일에서의 유튜브 Shorts 운영의 장점

YouTube Shorts를 모바일에서 운영하는 것은 여러 가지 이점을 가지고 있습니다. 특히 초보자들에게는 쉬운 접근성과 다양한 창의적인 기회를 제공합니다.

모바일에서 YouTube Shorts를 운영하면 언제 어디서든 간편하게 콘텐츠를 제작할 수 있습니다. 스마트폰의 카메라와 편집 앱을 활용하여 빠르게 동영상을 촬영하고 편집할 수 있어, 창의적인 아이디어를 즉시 현실로 구현할 수 있습니다. 또 YouTube Shorts를 모바일에서 운영하여 사용자 친화적인 편집 앱을 활용할 수 있습니다. 이러한 앱들은 직관적이고 간편한 인터페이스를 제공하여 초보자도 쉽게 동영상을 편집하고 다양한 효과를 적용할 수 있습니다.

모바일에서 YouTube Shorts를 운영하면 빠른 업로드와 손쉬운 공유가 가능합니다. 모바일 앱을 통해 직접 촬영한 동영상을 즉시 업로드하고, 소셜 미디어 플랫폼에서 쉽게 공유하여 시청자들과 빠르게 소통할 수 있습니다.

YouTube Shorts는 실시간으로 창의성을 발휘하고 시청자들의 반응을 받을 수 있는 플랫폼입니다. 새로운 아이디어나 트렌드에 즉각적으로 대응하며, 시청자들과의 실시간 소통을 통해 콘텐츠를 발전시킬 수 있습니다.

YouTube Shorts는 모바일 화면에 최적화된 짧은 형식의 콘텐츠를 지원합니다. 이는 시청자들이 모바일에서 더욱 편리하게 시청하고 공유할 수 있도록 도와주며, 모바일 사용자들에게 높은 가시성을 제공합니다.

YouTube Shorts를 모바일에서 운영하는 것은 손쉬운 콘텐츠 제작과 빠른 공유를 통해 창의적인 활동을 촉진하며, 초보자들에게도 쉽게 접근 가능한 장점을 제공합니다

5.2 모바일 앱을 활용한 효과적인 콘텐츠 업로드

모바일 앱을 효과적으로 활용하여 YouTube Shorts에 콘텐츠를 업로드하는 방법에 대해 알아보겠습니다.

먼저, 스마트폰에 YouTube 앱을 설치하세요. Google Play Store(Android) 또는 App Store(iOS)에서 무료로 다운로드할 수 있습니다. YouTube Shorts는 짧은 동영상에 중점을 둔 플랫폼이므로, 카메라 앱을 사용하여 원하는 콘텐츠를 촬영하세요. 주의할 점은 간결하고 흥미로운 내용으로 채워진 짧은 동영상이 성공적입니다. YouTube 앱에서 "Create" 또는 "Shorts" 모드를 선택하세요. 이는 YouTube Shorts에 최적화된 모드로, 동영상을 짧게 만들 수 있도록 도와줍니다.

YouTube 앱 내에서 동영상을 편집하고 필터를 적용할 수 있는 기능을 활용하세요. 간단한 편집으로 컷을 추가하거나 필터를 통해 동영상을 더 흥미롭게 만들 수 있습니다. YouTube Shorts에서는 동영상에 음악을 추가할 수 있습니다. YouTube 앱 내에서 제공하는 음악 라이브러리를 활용하거나, 직접 녹음한 음악을 삽입하여 콘텐츠에 감동을 더해보세요. 적절한 해시태그를 선택하여 동영상을 검색 최적화하세요. 동영상의 제목, 설명, 카테고리 등의 메타데이터도 설정하여 시청자들에게 동영상에 대한 정보를 잘 전달하세요.

동영상을 업로드하기 전에 미리보기를 통해 최종 확인을 하고 필요한 수정을 가하세요. 화질, 소리, 편집 등이 원하는 수준에 맞는지 확인하는 단계입니다. 미리보기가 완료되면 "업로드" 버튼을 눌러 동영상을 YouTube에 업로드하세요. 업로드 후에는 원하는 플랫폼에서 공유하여 시청자들과 소통하고, 더 많은 관심을 끌어냅니다.

YouTube Shorts의 모바일 앱을 활용하여 이러한 단계들을 따라가면서, 쉽게 동영상을 업로드하고 콘텐츠를 공유할 수 있습니다.

5.3 효율적인 소셜 미디어 활용 전략

YouTube Shorts 콘텐츠를 효과적으로 홍보하고 시청자와 소통하기 위한 소셜 미디어 활용 전략을 알아보겠습니다.

YouTube Shorts 콘텐츠를 다양한 소셜 미디어 플랫폼을 활용하여 홍보할 수 있습니다. 인스타그램, 페이스북, 트위터 등 다양한 플랫폼에서 동영상을 공유하여 더 많은 시청자에게 도달할 수 있습니다. YouTube Shorts 콘텐츠를 만들 때 공유 가능하고 파급력이 있는 콘텐츠를 생성하세요. 유머, 유용한 정보, 감동적인 순간 등을 담은 콘텐츠는 사람들이 쉽게 공유하고자 하는 자극을 줄 수 있습니다.

소셜 미디어에 동영상을 공유할 때 적절한 해시태그를 활용하세요. YouTube Shorts에서 인기 있는 해시태그나 해당 콘텐츠와 관련된 트렌드 해시태그를 사용하여 더 많은 사람들에게 노출될 수 있습니다. 관련된 주제의 소셜 미디어 그룹이나 커뮤니티에 참여하여 다른 사용자들과 소통하세요. 관련된 콘텐츠를 공유하고 의견을 나누며, 다양한 사용자들과의 네트워킹을 통해 더 많은 관심을 얻을 수 있습니다.

YouTube Shorts에는 쉽게 소셜 미디어에 공유할 수 있는 기능들이 있습니다. YouTube 앱에서 직접 다양한 소셜 미디어 플랫폼으로 콘텐츠를 공유할 수 있는 기능을 활용하세요. 주기적으로 YouTube Shorts 콘텐츠를 업데이트하여 시청자들에게 새로운 내용을 제공하세요. 일정한 업데이트 주기를 유지하면 구독자들이 꾸준히 콘텐츠를 기대할 수 있습니다.

시청자들과의 상호 작용을 촉진하는 방법을 찾아보세요. 댓글에 대답하거나 시청자들의 의견을 반영하는 등 적극적으로 사용자와 소통하면 커뮤니티를 더욱 강화할 수 있습니다.

이러한 소셜 미디어 활용 전략들을 통해 YouTube Shorts 콘텐츠를 홍보하고 더 많은 시청자들과 소통하는 데에 성공할 수 있습니다.

6.1 구독자 및 시청자수 증가를 위한 전략

YouTube Shorts 채널에서 구독자와 조회수를 늘리기 위한 전략을 알아보겠습니다.

가장 기본적인 전략 중 하나는 풍부하고 흥미로운 콘텐츠를 제공하는 것입니다. 시청자들이 즐기고 가치를 느낄 수 있는 동영상을 만들어 구독과 조회수를 증가시켜 보세요. 또 정기적인 업로드 스케줄을 유지하여 구독자들이 언제 기대할 수 있는지를 알려줍니다. 일관된 콘텐츠 업데이트는 시청자들에게 콘텐츠에 대한 신뢰를 주어 구독자 수를 늘리는 데 도움이 됩니다.

동영상의 제목과 썸네일은 시청자들이 동영상을 클릭하게 하는 중요한 요소입니다. 흥미로운 제목과 눈에 띄는 썸네일을 제작하여 더 많은 클릭과 시청을 유도하고 동영상에 적절한 해시태그를 활용하여 검색 최적화를 높여볼 수 있습니다. 인기 있는 트렌드 해시태그나 YouTube Shorts에서 인정받는 해시태그를 사용하여 동영상을 더 많은 사용자들에게 노출시킬 수 있습니다.

소셜 미디어 플랫폼을 활용하여 YouTube Shorts 채널을 홍보할
수 있으며 다양한 플랫폼에서 동영상을 공유하고 채널을 홍보함
으로써 더 많은 시청자들을 유입시킬 수 있습니다. 시청자의 댓
글에 대답하고 시청자들과의 상호 작용 촉진을 꾸준히 이어 나가
야 합니다. 구독자들과의 소통은 커뮤니티를 형성하고, 시청자들
이 채널에 더 많은 관심을 가지게 하는데 중요합니다.

경쟁자들의 채널을 분석하고 트렌드를 파악하여 콘텐츠를 계획하
세요. 어떤 유형의 콘텐츠가 인기 있는지 이해하고, 그에 따라 독
자적이고 창의적인 콘텐츠를 제작 및 제공하세요. 추가로 새로운
구독자 유도를 위해 동영상 안에서 "좋아요와 구독 부탁드립니다
"와 같은 유도 문구를 사용하세요. 또한 특별한 이벤트나 경품
추첨을 통해 구독자들에게 감사의 마음을 전하고 참여 유도를 할
수 있습니다.

이러한 전략들을 조합하여 YouTube Shorts 채널을 성장시키고,
구독자와 조회수를 늘리는데 기여할 수 있습니다.

6.2 광고 수익 증대를 위한 방법

YouTube Shorts에서 광고 수익을 늘리기 위한 전략을 알아보겠
습니다.

광고 수익을 얻으려면 먼저 유튜브 파트너십 프로그램에 가입해
야 합니다. 채널에 필요한 요건을 충족하고 신청을 통해 파트너
십을 시작하세요.

광고 수익은 주로 동영상 시청 시간과 구독자 수에 기반합니다.
풍부하고 흥미로운 콘텐츠를 제공하여 시청 시간을 늘리고, 구독
자 수를 증가시켜야 합니다. 광고 수익을 늘리려면 동영상에 광
고를 적절하게 삽입하세요. 유튜브는 동영상 시작, 중간, 끝에 광
고를 삽입할 수 있는 다양한 형식을 제공하고 있습니다.

YouTube Shorts에서는 콘텐츠에 특별한 기능을 추가하여 시청자들과의 상호 작용을 높일 수 있습니다. 이를 통해 광고의 효과를 높이고 수익을 증가시킬 수 있습니다. 인기 있는 YouTube Shorts 채널은 브랜드와의 협찬 기회를 얻을 수 있습니다. 유료 협찬을 통해 광고 수익을 증가시킬 수 있고, 브랜드와의 파트너십을 통해 안정적인 수익을 확보할 수 있습니다.

Google AdSense를 통해 광고 수익을 관리합니다. AdSense를 채널에 연결하고, 광고 수익을 추적하고 인출하는 방법을 숙지하세요. 동영상에서 구독 버튼과 기부 링크를 활용하여 시청자들에게 참여를 유도하세요. 시청자들의 지원을 받으면 광고 수익 외에도 추가적인 수익을 얻을 수 있습니다.

YouTube Shorts 채널의 커뮤니티 기능을 활용하여 구독자들과 소통하세요. 특별한 혜택이나 독점 콘텐츠를 제공하여 구독자들의 활성화를 높이고 광고 수익을 증가시킬 수 있습니다.

이러한 전략들을 통해 YouTube Shorts에서 광고 수익을 늘릴 수 있습니다. 항상 콘텐츠의 품질과 시청자들과의 상호 작용에 중점을 두면서 지속적으로 발전시켜나가세요.

6.3 유튜브 Shorts 알고리즘을 이용한 확장 전략

YouTube Shorts 알고리즘을 활용하여 채널을 확장하는 전략을 쉽게 이해할 수 있도록 설명하겠습니다.

YouTube Shorts 알고리즘은 시청 시간, 클릭률, 구독자 증가 등의 지표를 고려하여 콘텐츠를 평가합니다. 흥미로운 콘텐츠를 제공하여 이러한 지표들을 높이는 것이 알고리즘에 긍정적인 영향을 미칩니다.

알고리즘은 정기적인 업로드와 일관된 업로드 일정을 선호합니다. 꾸준한 업로드는 시청자들에게 더 많은 콘텐츠를 제공하고, 이는 알고리즘에서 긍정적으로 반영됩니다. 더하여 YouTube Shorts에서는 해시태그가 중요한 역할을 합니다. 인기 있는 해시태그를 활용하여 동영상을 노출시키고, 트렌드에 따라 다양한 주제의 콘텐츠를 제공하여 알고리즘의 노출을 높이세요.

시청자들의 댓글에 대답하고 좋아요, 구독 유도 등 사용자와의 상호 작용을 촉진하세요. 이러한 상호 작용은 알고리즘에서 콘텐츠를 활발하게 여기게 하여 노출 기회를 높입니다. 알고리즘은 사용자 피드백을 반영합니다. 동영상의 성과를 주기적으로 분석하고, 시청자들의 피드백을 수렴하여 콘텐츠를 지속적으로 개선하세요.

고화질의 콘텐츠를 제공하고 눈에 띄는 썸네일을 사용하세요. 시청자들이 동영상을 클릭하고 더 오래 머무를 수 있도록 하는 것이 알고리즘의 선호를 얻는데 도움이 됩니다. 다양한 주제와 길이의 콘텐츠를 제공하여 다양한 시청자들을 유치하세요. 알고리즘은 다양한 콘텐츠를 선호하며, 이를 통해 더 넓은 시청자층에 노출될 수 있습니다.

YouTube Shorts 콘텐츠를 소셜 미디어 플랫폼에서 홍보하고, 외부 트래픽을 유도하세요. 소셜 미디어에서 많은 공유와 클릭을 유도하면 알고리즘에서 긍정적으로 반영됩니다.

이러한 전략들을 통해 YouTube Shorts 알고리즘을 활용하여 채널을 확장하고 더 많은 시청자들에게 노출시킬 수 있습니다.

7.1 수익 창출을 위한 다양한 방법

채널에서 수익을 창출하는 다양한 방법을 알아보겠습니다.

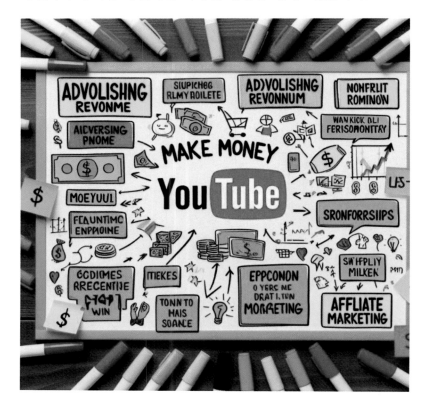

1. 광고 수익
유튜브 파트너십 프로그램에 가입하여 동영상에 광고를 삽입하면, 광고 수익을 얻을 수 있습니다. 광고는 동영상 시작, 중간, 끝에 삽입할 수 있으며, 시청자들의 광고 시청으로 수익을 창출합니다.

2. 후원 및 기부

시청자들에게 직접 후원을 받거나 기부를 요청할 수 있습니다. 유튜브에서는 구독자들에게 돈을 전송할 수 있는 기능을 제공하며, 이를 통해 추가 수익을 얻을 수 있습니다.

3. 상품 판매

자체 제작하거나 위탁받은 상품을 판매하여 수익을 창출할 수 있습니다. 특히 시청자들이 좋아하는 캐릭터나 로고를 활용한 제품은 인기를 끌 수 있습니다.

4. 유료 회원제 콘텐츠

설명: 특정 콘텐츠에 대한 유료 회원제를 도입하여 구독자들에게 특별한 혜택을 제공하고 수익을 창출할 수 있습니다. 유료 회원은 특별한 콘텐츠나 독점 컨텐츠에 접근할 수 있습니다.

5. 브랜드 협찬

설명: 인기 있는 유튜브 채널은 브랜드와의 협찬을 통해 광고 수익을 얻을 수 있습니다. 제품 또는 서비스를 소개하고 브랜드의 광고를 도입함으로써 수익을 창출합니다.

7. 라이브 스트리밍과 팬 후원

설명: 라이브 스트리밍을 통해 팬들과 실시간으로 소통하고 팬 후원을 받을 수 있습니다. 팬들은 라이브 중에 별풍선을 선물하거나 금액을 기부하여 수익을 창출할 수 있습니다.

8. 양방향적인 판매 및 홍보

설명: 제품 리뷰나 스폰서 제품을 활용하여 양방향적인 판매와 홍보 수익을 얻을 수 있습니다. 브랜드와 협력하여 제품을 소개하고 수익을 창출합니다.

이러한 다양한 수익 창출 방법을 통해 YouTube Shorts 채널에서 수익을 창출하고 지속적인 성장을 이루어 나갈 수 있습니다.

7.2 협찬(스폰서십) 및 제휴(파트너십)의 활용

채널에서의 스폰서십과 파트너십을 이해하기 쉽게 설명하겠습니다.

1. 스폰서십의 개념
스폰서십은 브랜드가 유튜버에게 제품이나 서비스를 홍보하거나 후원하는 것을 의미합니다. 유튜버는 이를 통해 수익을 창출하며, 브랜드는 타겟 시청자층에게 제품을 노출시키고 홍보합니다.

2. 파트너십의 개념
파트너십은 채널과 브랜드 간의 협력 관계를 의미합니다. 유튜버와 브랜드가 공동으로 콘텐츠를 제작하거나 특별한 이벤트를 개최하는 등의 활동을 통해 양측이 혜택을 얻는 협업입니다.

3. 스폰서십 및 파트너십의 장점
브랜드가 유튜버에게 지불하는 스폰서십 금액을 통해 추가 수익을 얻을 수 있으며 브랜드와의 협력을 통해 시청자 증가를 도모할 수 있습니다. 유튜버는 브랜드와의 협업을 통해 전문성을 강화하고, 다양한 경험을 얻을 수 있습니다.

4. 스폰서십 및 파트너십 활용 방법
브랜드와의 협업을 통하여 브랜드와 관련된 콘텐츠를 제작하고 홍보할 수 있고, 브랜드의 제품을 받아 언박싱하고 리뷰하는 동영상을 통해 제품을 소개하고 홍보할 수 있습니다. 더하여 브랜드와의 협업을 소개하는 동영상을 제작하여 시청자들에게 브랜드와의 협력을 알릴 수 있습니다.

5. 파트너십 및 스폰서십의 유의점
브랜드와의 협업은 채널의 주제나 콘텐츠와 관련성이 있어야 하며, 일관성을 유지해야 함은 필수적이고, 스폰서십이나 파트너십은 시청자에게 투명하게 공개되어야 합니다. 브랜드와의 협업 시계약을 세심하게 체결하여 의무와 권리를 명확히 해야 합니다. 스폰서십과 파트너십은 유튜브 채널의 수익 창출과 전문성 강화에 기여하는 중요한 전략입니다. 효과적으로 활용하면 채널의 성장과 브랜드와의 긍정적인 협력을 이끌어낼 수 있습니다.

7.3 효과적인 비즈니스 모델의 구축

효과적인 비즈니스 모델을 구축하는 방법을 알아보겠습니다.

비즈니스 모델은 수익 창출을 위한 전략과 구조를 나타내는 계획입니다. 유튜브 채널에 적합한 비즈니스 모델을 설계하면 채널 운영과 수익 창출이 더욱 효율적으로 이루어질 수 있습니다. 여러 가지 수익원을 창출하고 다양화함으로써 채널의 수익을 안정적으로 올릴 수 있습니다. 광고 수익, 후원, 제품 판매 등 다양한 방법을 활용하여 수익원을 다각화하세요.

타겟으로 삼는 채널의 시청자층 특성을 파악하고 이해하는 것이 중요합니다. 목표 시장에 맞춘 콘텐츠와 서비스를 제공하여 시청자들의 관심을 끌고 수익을 창출하세요.

특별하고 독특한 콘텐츠를 제공하면 경쟁 우위를 확보할 수 있습니다. 유니크한 콘텐츠는 시청자들에게 더 큰 가치를 제공하고, 그에 따라 수익을 높일 수 있습니다. 더하여 채널 운영에 필요한 도구와 자원을 효율적으로 활용하고, 비용을 최소화하면서도 콘텐츠 품질과 생산성을 유지하는 것이 중요합니다.

브랜드와의 스폰서십 및 파트너십을 통해 수익을 창출할 수 있고, 브랜드와의 협업을 통해 채널의 인지도를 높이고 추가 수익을 얻을 수 있습니다.

채널의 커뮤니티를 구축하고 활발히 유지하여 시청자들과의 상호작용을 높이면서 후원, 구독, 제품 판매 등 다양한 수익 창출 기회를 쟁취할 수 있습니다.

시청자들로부터의 피드백을 수렴하고 채널을 지속적으로 개선해야 합니다. 사용자 경험을 개선하고 시청자들의 요구에 부응함으로써 더 많은 지지와 수익을 얻을 수 있습니다.

효과적인 비즈니스 모델을 구축하기 위해서는 채널의 특성과 목표, 시장 환경 등을 고려하여 체계적인 계획을 수립하는 것이 중요합니다.

8.1 성공한 유튜버들의 이야기

유튜버들의 성공 스토리는 다양하고 각기 특별한 경험을 담고 있습니다. 여러 성공한 유튜버들 중 몇몇을 소개하고, 그들의 성공 비결을 알아보겠습니다.

1. 피온TV (Pion TV)
피온TV는 게임 콘텐츠를 주로 다루며, 개성 넘치는 캐릭터와 유머 감각으로 시청자들에게 사랑을 받고 있습니다. 처음에는 소규

모로 시작했지만, 지속적인 업로드와 특유의 스타일로 빠르게 성장했습니다. 피온TV는 독특한 캐릭터와 개성적인 편집 스타일을 통해 자신만의 정체성을 확립했습니다. 게임 업데이트와 트렌드에 빠르게 대응하여 신규 콘텐츠를 지속적으로 제공하며 시청자들의 관심을 유지했습니다.

2. 다락방 (Darakbang)

다락방은 일상생활의 다양한 주제를 다루는 라이프로그 채널로, 집안 가전제품 리뷰부터 일상 속 이야기까지 다양한 콘텐츠를 제공하며 인기를 얻었습니다. 주제의 다양성을 통해 더 넓은 시청자 층에게 다가가며, 다양한 콘텐츠를 통해 지속적인 시청자 유치에 성공했습니다. 다락방은 친근한 스타일과 유쾌한 편집으로 시청자들과의 소통을 강조하며, 자연스럽게 구독자와의 유대감을 형성했습니다.

3. 문복회 (Moon Bokhee)

문복회는 뷰티 및 패션 콘텐츠로 인기를 얻은 뷰티 크리에이터로, 메이크업 튜토리얼과 패션 스타일링에 대한 독특한 시각으로 시청자들을 매료시켰습니다. 뷰티와 패션 분야에서의 전문성을 강조하고, 자신만의 스타일과 세련된 감각을 시청자들에게 전달하여 신뢰를 얻었습니다. 창의적이고 특색 있는 편집을 통해 일상적인 주제도 흥미로운 콘텐츠로 만들어, 구독자들에게 지속적인 흥미를 제공했습니다.

이러한 유튜버들의 성공 스토리는 각자의 독특한 방식으로 시청자들과 소통하며, 창의성과 지속적인 노력으로 자신만의 커뮤니티를 형성했습니다. 성공의 비결은 자신만의 스타일을 찾고, 지속적으로 시청자들과 소통하며 성장하는 것에 있습니다.

8.2 그들의 경험에서 얻을 수 있는 교훈

유튜버들의 성공 스토리에서 얻을 수 있는 교훈은 다양하고 인사이트를 제공합니다. 아래는 그들의 경험에서 얻은 교훈에 대한 내용입니다.

1. 피온TV (Pion TV)
유니크한 콘텐츠가 필수 - 피온TV의 성공은 유니크하고 독특한 캐릭터와 편집 스타일에서 비롯됩니다. 시청자들에게 다른 채널에서 찾을 수 없는 콘텐츠를 제공함으로써 자신만의 브랜드를 구축하는 것이 중요합니다.
꾸준한 업데이트에 - 게임 채널에서는 게임 업데이트 및 트렌드 변화에 신속하게 대응하는 민첩성이 필요합니다. 신규 콘텐츠를 빠르게 제공하여 시청자들의 호기심을 유지하고, 구독자들을 유지하는데 도움이 됩니다.

2. 다락방 (Darakbang)
다양한 주제에 대한 관심을 이끌어내기 - 다락방은 다양한 주제에 대한 리뷰와 이야기를 다루어 다양한 시청자들을 유치했습니다. 다양한 주제에 대한 깊은 흥미를 이끌어내어 더 많은 구독자를 유치할 수 있었습니다.
친근한 소통 - 다락방은 친근하고 유쾌한 스타일로 시청자들과 소통하는 것을 강조했습니다. 구독자들과의 강한 유대감을 형성하여 채널의 성장에 긍정적인 기여를 했습니다.

3. 문복희 (Moon Bokhee)
전문성과 열정 - 문복희는 뷰티와 패션 분야에서의 전문성을 보여주고, 자신의 열정을 통해 시청자들에게 신뢰감을 전달했습니다. 자신의 분야에서의 전문성은 콘텐츠의 퀄리티와 시청자들의 만족도를 높이는데 결정적인 역할을 했습니다.
창의적인 편집의 중요성 - 문복희는 창의적이고 특색 있는 편집을 통해 콘텐츠를 더욱 흥미롭게 만들었습니다. 특히 뷰티 분야에서 시청자들의 시선을 사로잡기 위해 창의적인 편집이 필수적입니다.

이들의 경험에서 얻은 교훈은 유니크한 스타일의 중요성, 다양한 주제 다루기, 시청자와의 소통 강화, 전문성 강조 등 다양합니다. 이를 통해 새로운 유튜버들은 자신만의 경로를 찾고 성공에 한 발짝 더 가까워질 수 있을 것입니다.

9.1 유튜브 Shorts의 최신 동향

YouTube Shorts는 끊임없이 진화하고 새로운 트렌드가 등장하고 있습니다. 아래는 YouTube Shorts의 최신 트렌드에 대한 내용입니다.

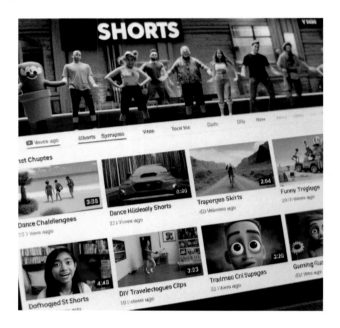

1. 시네마틱한 편집 스타일
YouTube Shorts 콘텐츠에서는 시네마틱한 편집 스타일이 강조됩니다. 효과적인 비주얼 효과와 편집 기술을 활용하여 시청자의 시선을 사로잡습니다. 색감, 전환 효과, 슬로우 모션 등을 적극적으로 활용하여 독특하고 시각적으로 매력적인 콘텐츠를 제작하고 있습니다.

2. 음악과의 조화

YouTube Shorts에서는 음악과 동기화된 콘텐츠가 더욱 주목받고 있습니다. 음악을 중심으로 스토리를 전달하거나, 음악에 맞춰 특별한 효과를 적용하여 시청자에게 더 강한 감동을 전달합니다. 또 다양한 음악 라이브러리를 제공하여 크리에이터들이 다양한 음악을 자유롭게 활용할 수 있도록 도와줍니다.

3. 동호회 및 콜라보레이션 트렌드

YouTube Shorts에서는 동호회나 그룹 간의 협업 콘텐츠가 인기를 끌고 있습니다. 여러 유튜버가 함께 참여하는 독특한 프로젝트나 챌린지가 많이 등장하고 있으며 시청자들과의 상호 작용을 강화하기 위해 퀴즈, 챌린지, 리액션 영상 등의 다양한 형태의 콘텐츠가 늘어나고 있습니다.

4. 더 짧고 다양한 콘텐츠 포맷

더 짧은 시간에 더 많은 콘텐츠를 제공하기 위해 미니 시리즈 형식이 늘어나고 있습니다. 각 에피소드는 더 짧지만, 전체적으로 시리즈로 연결되어 콘텐츠의 지속적인 제공을 강화합니다. 단편적이지만 강렬한 스토리텔링이 중요시되며, 더 많은 사람들이 짧은 시간 동안에도 감동을 받을 수 있도록 노력하고 있습니다.

5. AI 기반의 커스터마이제이션

YouTube Shorts는 시청자들에게 보다 개인화된 콘텐츠를 제공하기 위해 AI 기반의 추천 시스템을 강화하고 있습니다. 시청 기록, 관심사, 트렌드 등을 고려하여 최적화된 콘텐츠를 추천하며, 제작 도구에서는 다양한 AI 기반 필터와 효과를 제공하여 콘텐츠를 더욱 창의적으로 편집할 수 있도록 도와줍니다.

YouTube Shorts는 계속해서 새로운 창의적인 트렌드와 편집 기술을 도입하며, 크리에이터들에게 더 많은 가능성을 제공하고 있습니다.

9.2 향후 유튜브 콘텐츠의 방향성 예측

YouTube는 계속해서 변화하고 성장하며, 미래에는 다양한 방향으로 나아갈 것으로 예측됩니다.

YouTube는 더욱 현실감 있는 콘텐츠를 제공하기 위해 가상현실(VR) 및 증강현실(AR) 기술을 더욱 강화할 것으로 예측됩니다. 시청자들은 더욱 몰입적인 경험을 할 수 있게 될 것이며 YouTube는 사용자의 시청 기록, 행동 패턴 등을 더욱 세밀하게 분석하여 AI를 통해 더 정확한 개인화된 콘텐츠 추천을 제공할 것으로 예상됩니다.

YouTube는 미래에 다양한 디지털 플랫폼과의 협업과 통합을 더욱 강화할 것으로 예상됩니다. 이는 시청자들에게 더 많은 다양성과 선택의 폭을 제공할 크리에이터들에게는 더 많은 기회와 자유를 제공하며, 특히 독립 크리에이터들이 더욱 중요한 역할을 할 것으로 예측됩니다.

라이브 스트리밍은 더욱 중요한 형태의 콘텐츠로 자리매김할 것으로 예상됩니다. 이는 실시간 상호 작용과 시청자들과의 더 밀접한 소통을 가능케 할 것입니다.

YouTube는 더욱 다양하고 혁신적인 콘텐츠 플랫폼으로 성장할 것으로 예상됩니다. 새로운 기술과 트렌드에 민감하게 대응하며, 크리에이터들과 시청자들을 연결하는 플랫폼으로서의 역할을 계속 확장할 것입니다.

10. 1 독자들에게 전하는 마음

YouTube의 미래 방향에 대한 예측은 독자들에게 미래에 펼쳐질 새로운 가능성과 혁신에 대한 흥미를 전하고자 합니다.

독자들은 VR, AR, 인공지능 등의 새로운 기술이 도입됨에 따라 콘텐츠가 어떻게 진화하게 될지에 대한 호기심과 흥분을 느낄것 이며 YouTube의 AI 기반 개인화 추천, 다양한 플랫폼 통합 등 에 대한 예측은 독자들에게 사용자 경험의 혁신에 대한 기쁨과 기대감을 전할 것입니다. YouTube가 미래에 더 많은 기회와 창 의적인 자유를 제공할 것이며, 크리에이터와 시청자들에게 미래 의 성장과 발전에 대한 희망을 심어줄 것입니다.

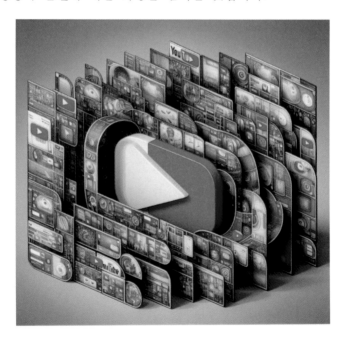

YouTube가 더 많은 디지털 플랫폼과 협업하며, 크리에이터 생태계를 발전시키는 방향에 대한 예측은 독자들에게 희망과 긍정적인 마음을 전할 것입니다.

독자들은 라이브 스트리밍과 상호 작용이 더욱 강조될 경우, 더 흥미진진하고 참여적인 콘텐츠를 경험할 기회에 대한 흥미를 느낄 것입니다. 이러한 예측들은 독자들에게 미래 YouTube 콘텐츠의 밝은 전망과 새로운 가능성에 대한 긍정적인 감정을 전하고자 합니다.

10. 2 새로운 도전을 위한 격려

미래의 YouTube 콘텐츠에 대한 예측은 독자들에게 새로운 도전에 대한 격려와 동기부여를 전하고자 합니다.

자유롭게 아이디어를 표현하고 새로운 시도에 도전하는 것이 중요하다고 강조하며 개성적이고 오리지널한 콘텐츠를 통해 창의성과 혁신의 가치를 발휘하는 것이 중요할 것 입니다.
YouTube의 새로운 기술과 편집 도구를 적극적으로 활용하여 자신만의 스타일을 찾아 나가는 것이 포인트이며, 기술적 도전을 통해 새로운 것을 배우고 실험하는 것이 성장과 발전에 큰 도움이 될 것 입니다.

다양한 디지털 플랫폼에서 도전하고 새로운 아이디어를 발휘하는 것이 중요할 것이고 크리에이터들끼리의 협업은 새로운 아이디어와 시너지를 만들어낼 수 있으며, 독자와의 연결을 강화할 수 있을 것 입니다.

개인화된 콘텐츠 경험이 미래에 큰 가치를 지닐 것이며, 시청자와의 강한 연결을 형성하는데 도움이 될 것 입니다. 자신의 관심사와 시청자들의 니즈를 고려하여 다양한 콘텐츠 테마에 도전하는 것이 중요합니다. 독자들에게는 라이브 스트리밍과 구독자들과의 상호 작용이 중요하며, 시청자들과 소통하면서 성장할 수 있는 기회를 얻게 될 것 입니다.

라이브에서의 도전적인 상황은 더 큰 성장과 더 큰 발전을 가져다 줄 수 있으며, 이를 긍정적으로 받아들이는 마인드 컨트롤이 필요할 것 입니다.

이러한 도전적인 예측은 독자들에게 미래에 새로운 도전에 대한
용기를 불어넣고, 창의성을 발휘하며 새로운 가능성을 모색하는
데 가장 좋은 방법일 것 입니다.

0. YouTube Shorts 처음 시작할 때 자주하는 실수 모음

YouTube Shorts를 처음 사용하는 경우 혼히 하는 몇 가지 실수들이 있습니다.

○ 콘텐츠의 부족한 품질
실수 : 초보자들은 품질이 낮은 콘텐츠를 제작하는 경우.
해결책: 품질 있는 비디오 제작과 편집 기술을 습득하고, 창의적이고 시선을 끄는 내용에 집중하세요.

○ 트렌드와 시청자 니즈의 무시
실수 : 트렌드를 놓치거나 시청자의 니즈를 무시하는 경우.
해결책: 플랫폼의 트렌드를 주시하고, 시청자들의 의견과 피드백을 주의깊게 듣고 반영하세요.

○ 마케팅 부재와 소셜 미디어 활용의 부족
실수 : 효과적인 마케팅과 소셜 미디어 활용을 제대로 하지 않는 경우.
해결책: 콘텐츠를 적절하게 홍보하고, 다양한 소셜 미디어 플랫폼을 활용하여 시청자들과 상호 작용하세요.

○ 알고리즘 이해 부족
실수 : YouTube Shorts의 알고리즘이 어떻게 작동하는지 이해하지 못하는 경우.
해결책: 플랫폼의 알고리즘을 학습하고, 특히 조회수 및 시청 시간의 중요성을 이해하세요.

○ 목표와 전략 부재
실수 : 명확한 목표와 전략이 없는 경우.
해결책: 콘텐츠를 만들기 전에 목표를 설정하고, 효율적인 전략을 수립하세요.

○ 인터랙션 부족
실수 : 시청자와의 상호 작용이 부족한 경우.

해결책: 댓글에 빠르게 답하고, 시청자들과의 소통을 적극적으로 유도하세요.

○ 지속적인 노력 부재
실수: 빠른 성과를 기대하면서 지속적인 노력이 부족한 경우.
해결책: 플랫폼에 꾸준히 콘텐츠를 업로드하고, 성과에 집중하지 않고 지속적인 노력을 기울이세요.

○ 피드백 무시
실수: 시청자들의 피드백을 무시하는 경우.
해결책: 피드백을 받아들이고, 콘텐츠를 개선하기 위해 시청자들의 의견을 활용하세요.

처음 시작할 때는 실패와 학습의 경험이 일어날 수 있습니다. 이러한 실수를 극복하고 성장하기 위해 지속적인 노력과 개선을 통해 발전해 나가세요.